这是我的书
It's MY BOOK
7级：400字

谁家的可可

玛丽的"爸爸"

原作：胡一毕（Yibi Hu）
改编：秦志宁（Zhining Chin）

U0891736

北京语言大学出版社
BEIJING LANGUAGE AND CULTURE UNIVERSITY PRESS

PHOENIX TREE
PHOENIX TREE PUBLISHING INC.

识读 滑冰 招 追 拉 连忙 更 阿姨 让 叔

句型 ……，好吗？

字数 428字

kě kě hé bà ba qù huá bīng, tā de hǎo

可可和爸爸去滑冰，她的好

péng you mǎ lì yě lái le. kě kě hé mǎ lì shǒu

朋友玛丽也来了。可可和玛丽手

lā shǒu, yòu chàng yòu tiào, zhēn gāo xìng!

拉手，又唱又跳，真高兴！

kě kě xiàng bà ba zhāo zhao shǒu bà ba
可可向爸爸招招手："爸爸，
kuài guò lai mǎ lì yě dà shēng shuō bà ba
快过来！"玛丽也大声说："爸爸，
kuài guò lai bà ba tīng dào le xīn xiǎng mǎ
快过来！"爸爸听到了，心想：玛
lì zěn me yě jiào wǒ bà ba ne
丽怎么也叫我爸爸呢？

bà ba hé tā men yì qǐ huá bīng kě kě dà
爸爸和她们一起滑冰，可可大
jiào bà ba lái zhuī wǒ mǎ lì yě jiào
叫：“爸爸，来追我！”玛丽也叫：
bà ba kuài lái ya bà ba bǎ kě kě bào
“爸爸，快来呀！”爸爸把可可抱
qi lai zhuàn le yì quān mǎ lì yě zhāng kai shuāng
起来，转了一圈。玛丽也张开双
shǒu shuō bà ba wǒ yě yào bà ba xiǎng
手，说：“爸爸，我也要！”爸爸想：
mǎ lì yì zhí jiào wǒ bà ba zhēn shì bù hǎo yì si
玛丽一直叫我爸爸，真是不好意思。

yí huìr kě kě yí gè rén pǎo qu wán le
一会儿，可可一个人跑去玩了。
mǎ lì lā zhù kě kě bà ba de shǒu shuō bà ba wǒ
玛丽拉住可可爸爸的手说：“爸爸，我
men qù wán ba kě kě de bà ba shuō nǐ wèi shén
们去玩吧！”可可的爸爸说：“你为什
me yì zhí jiào wǒ bà ba ne zhè shí yí wèi ā
么一直叫我‘爸爸’呢？”这时一位阿
yí zǒu guo lai shuō mǎ lì bú yào lā zhe shū shu bú
姨走过来说：“玛丽，不要拉着叔叔不
fàng nǐ zì jǐ qù wán ba mǎ lì zhǐ hǎo zǒu kai le
放，你自己去玩吧！”玛丽只好走开了。

zhè wèi ā yí shuō nǐ hǎo xī wàng mǎ
这位阿姨说：“你好！希望玛
lì méi yǒu dǎ rǎo dào nǐ kě kě bà ba lián máng
丽没有打扰到你。”可可爸爸连忙
shuō méi yǒu méi yǒu nǐ shì mǎ lì de mā ma
说：“没有，没有。你是玛丽的妈妈
ma hěn gāo xìng jiàn dào nǐ mǎ lì mā ma shuō
吗？很高兴见到你！”玛丽妈妈说：
wǒ yě hěn gāo xìng jiàn dào nǐ mǎ lì zǒng hé wǒ
“我也很高兴见到你！玛丽总和我
shuō tā hé kě kě shì hǎo péng you
说，她和可可是好朋友。”

kě kě bà ba wèn píng cháng dōu shì nǐ dài mǎ lì
可可爸爸问："平常都是你带玛丽

lái wán ma shì a tā zài zhè li hé kě kě yì
来玩吗？""是啊，她在这里和可可一

qǐ wán huì gèng kāi xīn kě kě bà ba yòu wèn mǎ
起玩会更开心。"可可爸爸又问："玛

lì de bà ba ne mǎ lì mā ma tíng le yí huìr
丽的爸爸呢？"玛丽妈妈停了一会儿，

shuō mǎ lì liǎng suì de shí hou tā bà ba jiù bú zài
说："玛丽两岁的时候，她爸爸就不在

le kě kě bà ba máng shuō à duì bu qǐ
了。"可可爸爸忙说："啊，对不起！"

zhè shí kě kě huí lai le bà ba shuō wǒ
这时可可回来了，爸爸说：“我
men qù zhǎo mǎ lì yì qǐ wán hǎo ma mǎ lì
们去找玛丽一起玩，好吗？”玛丽
gāo xìng de shuō tài hǎo le wǒ men hé bà ba
高兴地说：“太好了，我们和爸爸
yì qǐ wán kě kě bà ba xiǎng duō me kě ài
一起玩！”可可爸爸想：多么可爱
de hái zi yào ràng tā yǒng yuǎn kāi xīn a
的孩子，要让她永远开心啊！

1 可可和爸爸去滑冰，她的好朋友玛丽也来了。可可和玛丽手拉手，又唱又跳，真高兴！

2 可可向爸爸招招手：“爸爸，快过来！”玛丽也大声说：“爸爸，快过来！”爸爸听到了，心想：玛丽怎么也叫我爸爸呢？

3 爸爸和她们一起滑冰，可可大叫：“爸爸，来追我！”玛丽也叫：“爸爸，快来呀！”爸爸把可可抱起来，转了一圈。玛丽也张开双手，说：“爸爸，我也要！”爸爸想：玛丽一直叫我爸爸，真是不好意思。

4 一会儿，可可一个人跑去玩了。玛丽拉住可可爸爸的手说：“爸爸，我们去玩吧！”可可的爸爸说：“你为什么一直叫我‘爸爸’呢？”这时一位阿姨走过来说：“玛丽，不要拉着叔叔不放，你自己去玩吧！”玛丽只好走开了。

5 这位阿姨说：“你好！希望玛丽没有打扰到你。”可可爸爸连忙说：“没有，没有。你是玛丽的妈妈吗？很高兴见到你！”玛丽妈妈说：“我也很高兴见到你！玛丽总和我说，她和可可是好朋友。”

6 可可爸爸问：“平常都是你带玛丽来玩吗？”“是啊，她在这里和可可一起玩会更开心。”可可爸爸又问：“玛丽的爸爸呢？”玛丽妈妈停了一会儿，说：“玛丽两岁的时候，她爸爸就不在了。”可可爸爸忙说：“啊，对不起！”

7 这时可可回来了，爸爸说：“我们去找玛丽一起玩，好吗？”玛丽高兴地说：“太好了，我们和爸爸一起玩！”可可爸爸想：多么可爱的孩子，要让她永远开心啊！

1
2
爸爸！快过来！
爸爸！快过来！
3
哈哈！
爸爸来追我！
爸爸快来呀!!
哈哈哈
爸爸我也要！
4
5
6
7
看图讲故事